詩

poetry
yamazaki masayoshi

山崎まさよし

百年舎

詩　山崎まさよし詩集

第一章　1995年―1997年

第二章　1998年―2001年

第三章　2002年―2009年

第四章　2010年—2015年

第五章　2016年―2020年

第一章　1995年—1997年

月明かりに照らされて

月明かりに照らされて
ほほえむキミが　悲しすぎる
何を捨てれば　このまま遠くへ行けるだろう

言葉をかわさないのは
はぐらかしてる訳じゃない
泣きたくない　二人　泣きたくない　そうだろ？

これ以上　迷わない
もう　待たせないよ
キミと一緒じゃなきゃ
出来ないこと　たくさんあるから

キミのためってどんなこと
オレのためってどんなこと
たったひとつでも　さがしだせるなら　今すぐ

風の行方追いかけて
知らない国で　やり直そう
どんな夜でも　手と手を離さない　誓うよ

これ以上　迷わない
もう　待たせないよ
キミと一緒じゃなきゃ
行けないとこ　たくさんある

心拍数

この頃はなんかちょっとどっか冷めている
そうお互い解ったようなそんな顔してる

笑えないバラエティ番組みたいに…

あの頃はもっとずっと一所懸命で
想いの深さを計り合ったよ

最近君の笑顔なんて見ない

心拍数近づけよう　このままじゃ悲しいから
狂おしいほど抱きしめ合おう
吐息もむせぶほど
しっかりつかまえるよ

噛み合わないことが少し長引くと
僕の知らない君を考えてしまう

どれくらい君のことを知ってる?

重なり合っても探している　なんか淋しいから
どうにかなるほど求めていたい
切なさにまかせて
しっかりつかまえるよ

しっかりつかまえるよ

中華料理

何も言わずに　気持ち通じ合えたら
たぶん素晴らしいだろう

そして君との　ままならぬ恋は終わり
今宵　うわべのつき合い　まるめて捨てちまおう

たとえば　君が涙流して　悲しんでる時
ここぞとばかりに　そばにいてやれる

言葉の重み感じたい　もっとまだまだ　いろんなこと知りたい
君は俺となら　どんなとこ行きたい
中華料理はいけるかい　中華料理はいけるかい

テーブルをはさんだ　ちょっと遠い二人より
触れる肩先の　緊張感がいい

土曜の夜連絡　ここんとこ　なしのつぶて
静かな雨が　会いたさ　かき立てる

今から俺が　雨に濡れて　そっちに行くから
温かいコーヒーで　迎えておくれ

気持ちの重なり見つけたい　君は俺のどんなこと知りたい
そして俺とならどんなとこ行きたい
中華料理はいけるかい　中華料理はいけるかい

たとえば　君が老酒を　おかわりしたなら
どさくさに紛れて　恋人になれる

言葉の重み感じたい　もっとまだまだ　いろんなこと知りたい
君は俺とならどんなとこ行きたい
中華料理はいけるかい　中華料理はいけるかい

気持ちの重なり見つけたい　君は俺のどんなこと知りたい
そして俺とならどんなとこ行きたい
中華料理はいけるかい　中華料理はいけるかい
中華料理はいけるかい　中華料理はいけるかい

坂道のある街

僕ん家の隣の木が切り取られ
街のネオンが灯り出す
華やかな電飾にさえぎられ
君の居る場所　見失う

忙しい街にくらべると
僕の記憶はちっぽけで
思い出にふける隙間さえ
今は見つけられない

離れた場所から同じ空を見る
今、月は出てるかい？
強いふりをしてるのが　すぐわかる
遠い電話のつくろう声

君の知らない街を歩いてる
海にそそぐ川　さびれた橋
水面に僕が映ってる
夏がそこまで来てる

湿った風が吹いている
君の方角がかすんでいる
家路につく人　流れて行く
今夜は雨になる

この丘の坂道に慣れた頃
君を迎えに行けるはず
今は少し息が切れるけど
いずれ僕の住む　街になる…

パンを焼く

君のためにパンを焼く　顔中真っ白になりながら
イースト菌でふくらます　香ばしい愛を育てよう
好きならしょうがない

君のために米を炊く　冷たい水でとぎましょう
かたさ加減は君次第　ふっくら炊きたてを召し上がれ
好きならしょうがない

一人暮らしの部屋　君を招いて
こころゆくまでもてなそう
ちょっと貧しくても　つつましく始めよう
君のために　君のために

君のためのスパゲティー　オリーブオイルを忘れずに
ホワイトソースで仕上げる　テーブルクロスを敷きましょう
好きならしょうがない

一人暮らしの部屋　君を招いて
こころゆくまでもてなそう
ちょっと貧しくても　つつましく始めよう
君のために　君のために
君のために蕎麦を打つ　君のために豆を炒る
君のために芋を買う　僕のためにパンを焼く

妖精といた夏

瓦礫の山に妖精を見つけた
壊れたテレビで遊んでる

無邪気な声がどこまでも響いた
月に一度の燃えないゴミの日

忘れかけてる優しいメロディ
あの日拾ったオルゴール

幼い胸が確かに躍った
永遠の空の下で

頼りない小さな手が　触れたものは
もうここには帰らない

あの時と同じ空なのに　オルゴールの音は聞こえない
あの時と同じ風なのに　僕らの歌声はとどかない

縁石の上の背くらべは
プールからの帰り道

夕日ににじむ長い影法師
アスファルトになる前の道で

少しずつ失ってゆく
かけがえのないあの頃の宝物

あの時と同じ空なのに　オルゴールの音は聞こえない
あの時と同じ風なのに　僕らの歌声はとどかない

瓦礫の山はいつしか消えた
運び去られた夢の跡

妖精達は翼をたたんだ　僕といっしょに帰れなかった
僕といっしょに帰れなかった

根無し草ラプソディー

根無し草はどこ吹く風　サヨナラは鼻歌ついで
「ついてこい」とは言えない臆病者　ごめんよ

幸せは弓張り月の上　泣いた夜も数知れず
お伽話しを今でも信じてる　笑うかい？

何処まで行けばいいのかなんて
誰にも教えてほしくないのさ

さびしい夜は君を想う
面影だけでも抱かせて欲しい
黄金色の街で便りを書く
飛行機雲を見て

戯れている鳥の歌声　季節の名を知らせている
知らない土地に広がる青い空　元気かい？

優しい人が笑っている　暮れてく日が友を呼ぶ
黄昏てどんな夢抱いて眠ろう　ああ今夜

未来はきっと選べるけど
明日はまだ選べないから

さびしい夜は君を想う
生意気な仕草　泣かせたことや
遠くの海で便りを書く
沖に出る船を見て

さびしい夜は君を想う
沖に出る船を見て

ツバメ

霞の向こうに新宿が見える
ツバメはうまくビルを縫ってゆく
今年はゆっくりと春がおとずれる

コインランドリーは歩いて2分
軽い口笛は少しの余裕
人ゴミだけは苦手だけど

そっちには僕の声とどいてますか
擦れ違う季節に思いをよせている
多分ね　きっと変わらない　この先もどこにいても

外食ばかりじゃ　やっぱいけないね
タバコの量もちょっと多いかもね
少しなげやりになってるかもね

単純に物を考えるようにしてる
そうでなくたって手に余るから
僕にできること　ただそれだけを

どっかで僕の唄　聞けますか
風に乗せるつもりで必死でつむいだけど
幸せずっと祈ってる　この街のどこからでも

そっちには僕の声とどいてますか
擦れ違う季節に思いをよせている
多分ね　きっと変わらない　この先もどこにいても

セロリ

育ってきた環境が違うから好き嫌いはイナメナイ
夏がだめだったりセロリが好きだったりするのね
ましてや男と女だからすれちがいはしょうがない
妥協してみたり多くを求めたりなっちゃうね

何がきっかけでどんなタイミングで二人は出逢ったんだろう
やるせない時とか心許ない夜
出来るだけいっしょにいたいのさ

がんばってみるよ　やれるだけ
がんばってみてよ　少しだけ
なんだかんだ言っても　つまりは　単純に
君のこと好きなのさ

もともと何処吹く他人だから価値観はイナメナイ
流行が好きだったりそのわり古風なとこあったりするのね
性格曲げてまで気持ちおさえてまで付き合うことないけど
一人じゃ持ち切れない素敵な時間に
出来るだけいっしょにいたいのさ

がんばってみるよ　やれるだけ
がんばってみてよ　少しだけ
なんだかんだ言っても　つまりは　単純に
君のこと好きなのさ

ただ　ただ…

慌ただしい昼間とくらべて　今はなんて静かなの
擦れ違った　あの横顔は　たしかに君だった

別にどうってことないんだけど
ただ　ただ　君だったなぁ

想いは君の笑顔に　はぐらかされたり
他の人の言葉で　かき消されたり

別にどうってことないんだけど
ただ　ただ　君だったなぁ

もう冷たくなった街の風は　君を他の誰かの腕に誘う
バックミラー消えてく後姿　季節が君を遠ざける

時間はどうすることもできず　流れてゆくばかり
もうすぐここを離れる仕度に追われるよ

さよならを早く君に届けたい　何の重さも感じなくてもいい
何も言い出せなくて　くすぶったままなら
この風にあおられて燃え尽きてしまえ

慌ただしい昼間と比べて　今はなんて静かなの
擦れ違った　あの横顔は　確かに君だった

ステレオ

モノラルの声のイメージじゃせつない
ステレオの君を感じたい
上半身それさえも頼りない

受話器を持たない片方の手は
やるせなく　いつも　もてあましてる
存在を今すぐ抱きしめたい

切って塗って貼ったような想像じゃ
いつかきっと　こわされるのが　目に見えてる
どうせ　はがれてゆくメッキなら
見つめ合って　こわしてゆこう
残さずに全部飲み干すから
あまさずにすべてそそぎ込んで

今夜も君の空想で日が暮れる
互いをくすぐり合う言葉だけじゃ
12時まわっても眠れない
本心を今すぐ聞き出したい

酔って言ったようなたわごとじゃ
ここぞという時に　きっと　はぐらかされる
どうしたいの　こうしたいの　そうやって
話の核心にせまってゆこう

残さずに全部飲み干すから
あまさずにすべてそそぎ込んで
今夜も君の偶像で日が暮れる

切って塗って貼ったような想像じゃ
いつかきっと　こわされるのが　目に見えてる
どうせ　はがれてゆくメッキなら
見つめ合って　こわしてゆこう

残さずに全部飲み干すから
あまさずにすべてそそぎ込んで
今夜も君の空想で日が暮れる

向かい合って二人心に火をつけよう

ふたりでPARISに行こう

カンカンアパートに挟まれた細い路地に
どこかの家の子供の泣き声が響いてる
夕刊配達の自転車の軋む音に
どこか遠い国の夕暮れを重ねてる

ふたりでPARISに行こう　恋人になろう
ふたりでPARISに行こう　恋人になろう

昨夜は安酒とモノクロのヌーベルバーグ
いつか君が夢中で話してたニヒルなアクター
冗談もシャレも通じないような　むなしい日々
まったくこんなとこは　いい加減うんざりさ

ふたりでPARISに行こう　恋人になろう
ふたりでPARISに行こう　恋人になろう

伝説の飛行機に街の灯が翻る
リンドバーグの夢を追いかけながら
口づけをしよう

週末はブルゴーニュ　ノエルはシャンゼリゼ
セーヌの流れよりもゆるやかな時
手にしてみたくて

ふたりでPARISに行こう　恋人になろう
ふたりでPARISに行こう　恋人になろう

コイン

原色に塗られた街で　ひとときのぬくもりが欲しくて
あやふやな触れあいの中に　信じられるものを見つけたくて
あてのない夜は　空を見上げて何を願うだろう
気づいたら君の名前を呼んでいる

胸のまん中に何もかかげず　手をかざす誓いも何もなく
一人ぼっちで歩いてると　なぜか水辺にたどりついている
澄んだ水の底に沈んだコインは誰の願いだろう
気づいたら君の名前を呼んでいる
あてのない夜は空を見上げて何を願うだろう
気づいたら君の名前を呼んでいる

アドレナリン

アドレナリンに打ちのめされ　涙が止まってる
悲しいのに　ただ風に吹かれてるだけ

我慢は体によくない　すこやかに笑いたい
さびしいのに　ただ立ちつくすだけじゃ
愛しい人は去ってゆく

もうこれ以上　僕は嘘をつかない
それが最後の悪あがきでもいいから
君をこのまま行かすわけにはいかないよ

胃カメラのモニターに映る　ただれてく僕の心
バリウムが浸透するように　ねじれてく君への愛情
お願いだよ　この乾いた心を水浸しにしてよ

もうこれ以上　君に嘘をつかない
それが最後の悪あがきでもいいから
君をこのまま行かすわけにはいかないよ

早めに治しましょう　こじらせて困る前に
その場しのぎの応急処置じゃ　またすぐにはがれてゆく

もうこれ以上　僕は嘘をつかない
それが最後の悪あがきでもいいから
君をこのまま行かすわけにはいかないよ

もうこれ以上　君に嘘をつかない
それが最後の悪あがきでもいいから
君とこのまま終わるわけにはいかないよ

レインソング

帰らない遠い約束
夕立に押し流され
雨音のカーテンコールに
思い出は応えないまま

泣いた君と向かい合えないで
でも僕には君しかいなくて
どんな言葉も安っぽくて
知らずに傷つけてた

うまく言えなかったね　時にせつなすぎて
願わくばいつか優しい歌になれ
流した涙を　海にそそぐ時
あの頃の僕より　強くなっているはず

ねぇ、君は望んだとおり
もう歩きだせたろうか
はしゃいだ夏の呼び声は
まだ耳に残っている

ささやかな願いよ　閉じ込めた想いよ
やがて風に乗れ　夢で終わらずに
流した涙に　そっと伝えたい
あの頃を越えて今の君がいると

本当は未だにどこにも行けずに
窓にもたれてる だけどいつか

消えない悲しみよ 物憂げな日々よ
この雨が止んで僕の歌になれ
流した涙を海に注ぐ時
あの頃を越えて

ささやかな願いよ　閉じ込めた想いよ
うまく風に乗れ　夢で終わらずに
流した涙に　そっと伝えたい
あの頃を越えて今の僕がいると

ベンジャミン

いつも僕はそうだった
君の素直さに憧れた
色づく季節に　心　動かされ
泣いている　惜しみなく

時が経つにつれて増えていく
世迷い言ばかり
何が歯止めをかけているの？
解き放て…

頭じゃわからないから
胃腸に負担がくる　毎度のこと
正直になるだけじゃ　愛せない
それだけは　わかっている

弱さを認める　それだけが
何故に今　難しいのか
僕は本気で笑ってますか？

幼い頃　夢つめこんだ
閉まりそうな扉　開いて…

時が経つにつれて増えていく
世迷い言ばかり
何が歯止めをかけているの？

猫が風のないベランダから
過ぎて行く　冬を見てる
僕は焦げたトーストかじって
君のいる　春を待つ

木漏れ日もらったベンジャミン
ゆっくりと　育て
伝えたいよ　精一杯
心から…　心から…

名前のない鳥

風に揺れてる朽ちかけた伝言板
裏切られるよりはさまようほうがいい

便りがない日々に淋しさだけつのってゆく
影を引きずるぐらいなら名もない鳥でいい

陽炎の様にゆらいでる約束の場所
はるか遠くの街

誰かが全部幻だと教えてくれたら僕は
何処へ行くだろう

主を探している　はぐれた雲に話しかける
何にすがった時に一つの旅は終わるんだろう

月は今日の夜もしんしんと照らしている
想うのはただ愛しい人の胸で眠りたい

たとえ幻であってもせめて一夜の
ぬくもりに酔いしれたい

心の奥で消えかけたわずかな明かりを
もう一度両手でつつんで

陽炎の様にゆらいでる約束の場所
はるか遠くの街

誰かが全部幻だと教えてくれたら僕は
何処へ行くだろう

昼休み

並居る強敵を全部　蹴散らして
オープンカーに乗って　君が待つ所をめざす
などと考えてる

見向きもされない大穴につぎ込んで
砂漠に眠ってる王様の気分を味わう
などと妄想してる

君にとってこんなことって　少し子供じみたくだらない戯言
そっぽ向いて帰んないで　少し時代錯誤けどはかなくもけなげ
僕のあさましき夢に祝福のキスを

がっぷり四つに組んで見事投げ飛ばして
表彰台に立って　シャンパンをまき散らしたい
などと思っている

君にとって多分きっと　少し理解不可能なくだらない戯言
ちょっと待ってこっち向いて君がいなくなったら何もはじまらない
僕のあさましき夢に祝福のキスを

とかく現実はままならない
ただ煮えたぎって焦げてゆく

昼休みはずっとつづかない
またお仕事にもどるだけ

前人未踏の快挙　歴史的なレコード
驚異的な才能　ああ素晴らしき　怠慢な僕
よだれ流してる

君にとって　こんなことって　少し子供じみたくだらない戯言
そっぽ向いて帰んないで　少し時代錯誤　けどはかなくもけなげ
僕のあさましき夢に祝福のキスを

One more time, One more chance

これ以上何を失えば　心は許されるの
どれ程の痛みならば　もういちど君に会える
One more time　季節よ　うつろわないで
One more time　ふざけあった　時間よ

くいちがう時はいつも　僕が先に折れたね
わがままな性格が　なおさら愛しくさせた
One more chance　記憶に足を取られて
One more chance　次の場所を選べない

いつでも捜しているよ　どっかに君の姿を
向かいのホーム　路地裏の窓
こんなとこにいるはずもないのに
願いがもしも叶うなら　今すぐ君のもとへ
できないことは　もう何もない

いつでも捜しているよ　どっかに君の姿を
交差点でも　夢の中でも
こんなとこにいるはずもないのに
奇跡がもしも起こるなら　今すぐ君に見せたい
新しい朝　これからの僕
言えなかった「好き」という言葉も

夏の思い出がまわる
ふいに消えた鼓動

いつでも捜しているよ　どっかに君の姿を

すべてかけて抱きしめてみせるよ

寂しさ紛らすだけなら　誰でもいいはずなのに
星が落ちそうな夜だから　自分をいつわれない
One more time　季節よ　うつろわないで
One more time　ふざけあった　時間よ

明け方の街　桜木町で
こんなとこに来るはずもないのに
願いがもしも叶うなら　今すぐ君のもとへ
できないことは　もう何もない
すべてかけて抱きしめてみせるよ

いつでも捜しているよ　どっかに君の破片を
旅先の店　新聞の隅
こんなとこにあるはずもないのに
奇跡がもしも起こるなら　今すぐ君に見せたい
新しい朝　これからの僕
言えなかった「好き」という言葉も

いつでも捜してしまう　どっかに君の笑顔を
急行待ちの　踏切あたり
こんなとこにいるはずもないのに
命が繰り返すならば　何度も君のもとへ
欲しいものなど　もう何もない
君のほかに大切なものなど

HOME

うなされて　目覚めた朝は一人の寂しさかみしめている
幼い記憶をたどって　川辺の道を歩いているよ
夏の風が追い越してく　今から帰るよ
君が待つ所へ

涙を忘れてゆくからストレスがたまって疲れちゃうんだ
昔描いたあどけない夢は今もその胸に残っているかい
過ちも償えない　今から帰るよ
君が待つ所へ

過ちも償えない　今から帰るよ
君が待つ所へ

生まれた場所から遠く離れてもうどのくらい経ったのだろう
安らぎと温もり求めてあとどのくらいさまようのだろう

今日の日が　燃え落ちてく　今から帰るよ
君が待つ所へ　君が待つ所へ　君が待つ所へ

あじさい

雑種の犬を飼って　散歩に出かけよう
雨上がりの道を　紫陽花　数えながら
近くの公園まで

ため息も大きな緑の葉に変えて
落ち着いた色をした　淡い花を咲かせよう
今月の終わりには

どんなことでもいつしか
あなたの微笑みに変わればいい
どんな些細《ささい》なことでも　穏やかな気持ちあげれたらいい

熱帯魚を飼って　交代でエサをやろう
言葉に疲れてても　なにか寂しくても
毎日忘れずに

なにがなくても本当は　あなたの微笑みが戻ればいい
あんなことがあったねと　笑える時が来ればいい

どんなことでもいつしか
あなたの微笑みに変わればいい
どんな些細《ささい》なことでも　穏やかな気持ちあげれたらいい
なにがなくても本当は　あなたの微笑みが戻ればいい

ピアノ

鳴りはじめる夜のレクイエム　街がまぶた閉じる
夢も悲しみも今はひとやすみ　雪が降りつもってく

置きざらしの自転車にも
工事現場のリフトにも
君が眠る部屋の屋根にも

僕の足跡も　昨日の行方も　雪に埋もれてゆく

線路わきの信号機にも
日のあたらない細い路地
忘れ去られたベンチにも

心から君を離したくない　窓を曇らしたい
心から君を離したくない　窓を曇らしたい

長男

僕は長男　長男は大変　一家の将来背負ってる
親戚付き合い　法事の接待　本家の存亡担ってる

この身にせまりくる　しかるべき時よ
この手にからみつく　しがらみの糸よ

なにはともあれ　長男は大変ね

お父さんも長男　お父さんも大変
みんなの安泰願ってる

逃れられない　戸籍上の魂よ
いつか夢に見た二世帯住宅よ

そんなこんなで父さんも大変ね

いっそどこか遠く　麗しの君と
世間尻目の　気ままな暮らしがしたい
知らず呼び合う　絆　が運命ならば
いずれこの身を　何に捧げればいい

なにはさておいて　僕は長男
長男の災難　時々長男はFeel So Blue

星に願いを

ちぎれ雲追いかけて　ボーダーラインまで
さっきの通り雨　重くなる背中

人の悲しみ乗せた　列車が追い越してく
地の果てがあるとしたら　何を捨てに行くの

暮れてく地平線　星に願いを　ra-ra-ra-ra

流木の道標　波が消してく
夏の忘れ物が　ささやきあってる

無邪気な君の歌　リフレインで聴いてる
目に入った砂が　涙で流される

暮れてく水平線　星に願いを　ra-ra-ra-ra

羽を休めている　旅鳥の群れ
今夜眠る場所を　探して歩く

虫の声がいつか　子守り歌に変わり
帰らぬ思い出が　夢の中を過ぎる

瞬く無垢な光　星に願いを　星に願いを
ra-ra-ra-ra

振り向かない

君の気持ちが揺れたのは
ごく自然なことなのさ

分かってたつもり　君からのさよならは
今頃になって　なぜ　胸を焦がす

不甲斐ない僕にささげてきた
君の時間は取り戻せたかい

置きっぱなしの傘　あの時の忘れ物
だけど　君が部屋のドアたたくことはない

すれ違った後　立ち止まらない
どこかでもし出会っても幸せ祈るだけで
振り向かない　君を見つめない
確かに歩きだすよ

二人ですごした季節は　数えるほどしかないんだけど
泣いた顔　笑う顔　まぶたに焼き付いてる
だけど君をあの頃に戻しちゃいけない

すれ違った後　立ち止まらない
変わらぬ面影見つけても　言葉は交わさずに
振り向かない　君を見つめない
確かに歩きだすよ

すれ違った後　立ち止まらない
どこかでもし出会っても幸せ祈るだけで
振り向かない　君を見つめない
変わらぬ面影見つけても　言葉は交わさずに
振り向かない　君を見つめない
確かに歩きだすよ　確かに歩きだすよ

第二章　1998年―2001年

僕はここにいる

ため息だけが　静寂に消えていった　帰り道
遠い空　ゆれている　街並

すべてに君の　やさしい微笑みが　離れない
手をのばしても　届かない場所にいる

もっと君のこと知りたいよ
悲しみも　ささやきも　全部見てみたい
苦しいよ　今度はいつ逢える

遅すぎた　出会い　胸にかみしめている　痛いほど
気付いたら　夜は終りはじめてる

うまく君の名を呼べないよ
せつなくて　むなしくて　つぶされそうさ
わかるかい　僕はここにいる

むくわれない　束の間の夢ならば
せめて　偶然の時だけでも
はかない　うたかたの恋ならば
せめて今　君の声だけでも

救われない　痛みだけの気持ちでいい
傷ついても　それでかまわない
できるなら　今すぐ抱きしめたい
二人だけの　約束を交わしたい

むくわれない　束の間の夢ならば
せめて　偶然の時だけでも
はかない　うたかたの恋ならば
せめて今　君の声だけでも

お家へ帰ろう

目一杯　溢れそうな気持ちを使い果たしたら
精一杯　強がっても　一人ぼっちに挫けたら

お家へ帰ろう　シチューを作ろう
窓から漏れてく　白い湯気が
星屑の隙間を埋めてゆく

お家へ帰ろう　シチューを食べよう
ほんの少しだけ　手間かけて
この想い　いつか雪になれ

暮れてく　街角に　ちょっとずつ明かりが灯ったら
冷たいつむじ風で　月も涙で滲んだら

お家へ帰ろう　シチューを食べよう
それぞれの願いが　温ったまって
冬の空に立ち上がってゆく

お家へ帰ろう　シチューが待ってるから
ほんの少しだけ　手間かけて
思い出は　やがて雪になる

僕と君の最小公倍数

もどかしい思いで　のばした腕がちぎれそうで
どんな答えも　いたずらにむなしすぎて

僕らにたりないもの
僕らが知らずに失ってくもの
そこから目をそらしても
どこか　胸の底に　不安が残ってる

まだつかめない
何十回くちづけても　何百回抱きしめても
まだ見えてこない
何十回身も心も　何百回解ったつもりでも

伝えたい気持は　思ったより少し複雑で
いつもと同じような　言葉だけを選んでばかり

僕らじゃどうもなんないこと
僕らが知らずに通り過ぎること
このまま日々をかさね　いつか二人
気付く時が来るのかな

まだつかめない
何十回キズついても　何百回キズつけても
まだ見えてこない
何十回身も心も　何百回解ったつもりでも

僕らにたりないもの
僕らが知らずに失ってくもの
そこから目をそらしても
どこか　胸の底に　不安が残ってる

まだつかめない
何十回くちづけても　何百回抱きしめても
まだ見えてこない
何十回身も心も　何百回解ったつもりでも
何十回キズついても　何百回キズつけても
何十回身も心も　何百回解ったつもりでも

琥珀色の向い風

あの日買ってもらったばかりの自転車で
沈みかけた太陽を追いかけてた

夕飯の前　蜩の声
琥珀色の向い風

西日の森　水たまりの道
土手にのびる長い影は

気づいたらもう　居なくなってた
あの日仲よくなったばかりの友達と
親にも内緒の約束を探してた

落とさないように　落とさないように
両手ですくい上げてから

こわさないように　こわさないように
ポケットにしまったものは

夕立ちの後に消えてしまった

時が経つにつれ悲しみを知り
もう戻ることない場所

あの頃の君とこれからの僕が
もう出会うことはない
琥珀色した風の中で

水のない水槽

冬が終わる街を雨が静かに濡らす
僕が見てる明かりは溶けそうな窓にゆがむ
サーモスタットは壊れはじめる
魚が瀬に打ち上げられる

閉じれない意識で
しめつける記憶に
何もできないまま　水のない水槽の中にいる

うす暗い部屋の中で僕ら二人ゆれる
しめ忘れたドアが風で少し開く
あばらの浮き上がったきしむ肺を
君の温もりでしめらせたい

ひび割れそうな景色も
乾きすぎた髪も
はがれ落ちそうな過去も　水のない水槽の中で　二人

砂にうもれそうな死んだ瞳を
君の口づけでうるおしたい

ふさがれた想いも
しわがれた言葉も
枯れ落ちそうな花も　水のない水槽の中で

僕らは抱き合ったまま
明日に影をのばす
いつかの海を見てる　水のない水槽の中で

ドレッシング

半透明の理解で　わだかまっている
僕はまだ君を　よく知らないみたい

僕らがしおれてく前に
自家製のドレッシングを
今よりおいしくなるために
酸いも　甘いも　泡だつほどに

半分ぐらいの気持ちで　やりすごしている
一人分の食事は　ビタミンが足りない

僕らがはなれそうな時に
君とドレッシングを
今よりもっとよく知るために
酸いも　甘いも　悲喜こもごもに

ほどよく　かきまぜて
はじきあわないように

僕らがしおれてく前に
自家製のドレッシングを
今よりおいしくなるために
酸いも　甘いも　泡だつほどに

僕らがはなれそうな時に
君とドレッシングを
水と油になる前に
よく振ってからおためしください

月曜日の朝

ねえ　どれぐらいの痛みを　解っていたんだろう
あの日泣いた君の
胸にわだかまりを抱いて　ドアに鍵かけた
月曜の朝

シーズンオフの道　ガレージセールの後
通りすぎてく　いつもより5分遅れで
ねえ　どれぐらいのことを　受け止められるかな
今だったら
これでよかったなんて　都合よすぎるかな
高架を登る　少し霞む街の影

流れる道路に　今日もハンドルを切る
いつもより5分遅れで

Passage

あこがれの場所までまだ遠く
長くわだちが続いてる
ときおり吹く砂まじりの風に
細い影が揺さぶられる

あの日の友の呼び声が
聞こえては消えてゆく

遠い昔に交わした約束を
心の隅に置いたまま
過ぎて行くありふれた日常の
ささいなことを気にしている

振り返って目をこらしても
ここからは遠すぎて

流れてく雲の途切れた先に
ずっと消えずあの星があるなら
その果てに夢を見続けること
僕はまだ出来るだろうか

錆びついて誰も乗ることのない
車の横を通り過ぎる

いくつかの叶わぬ願いが
ぼんやりとなびいてる

いつかどこかで僕が疲れ果てて
一人立ち尽くしてしまった時に
何に思いをゆだねればいいのか
今は分からないけど

流れてく雲が途切れた先に
ずっと消えずあの星はあるから
その果てに夢を描き続けて
僕はまた歩き始める

江古田

僕らしさも分からず
一人で歩いてる
駅までの道のり

二日酔いの頭を
支えながら登る
せまい歩道橋を

悲しみを振り返っている暇もなく
朝の踏み切りのゲートが上がってく
動き出す街に　今日もまた駆け込んでゆく
電車のブレーキに　足とられよろめいている

君らしい「サヨナラ」に
整理もつかなくて
時にまかせたまま

街頭のモニター見上げて
気付いたら朝の交差点　一人で立ってた

行き交う人と　今日もまたすれ違って
誰かのクラクションにせかされて　慌てている

それぞれの願いはこの先　どこに辿り着くのだろう
そして僕は

動き出す街に　今日もまた駆け込んでゆく
電車のブレーキに　足とられよろめいている

ビルの谷間に新しい風が吹いて
いつかの痛みも　薄れてゆく様な気がする

六月の手紙

僕の部屋の向いの家族が引越してって
子供のはしゃぐ声はもう聞こえてこない
つい先週のあたまから

新しい友達はちょっと神経質で
とっつきにくいけど根はいい奴で
なぜか気が合うみたい

シャツに袖をとおすたびに
ブーツをはき古すうちに

少し浮かれてみたりして
少し落ち込んだりもして

君に手紙を書いている

この前知り合いの結婚式に出て
スピーチでほんの少しひんしゅくを買った
花嫁に笑われた

たまにスーツを着るたびに
靴ずれで足が痛くて
少し寂しかったりもして
少し喜んだりもして

そっちの調子はどうですか？

ありきたりな言葉だけれど
それなりにうまくやってるよ
少し立ち止まったりもして
少し流されたりもして

とりとめもなく
六月の空の下
君に手紙を書いている

やわらかい月

笹の舟を　水辺に浮かべたまま
一人岸辺で　流せず見つめてる

暮れてゆく空に　慣れてくる頃
満ち足りた月は　水面をただよう

かたくなに何を　拒んできたのだろう
闇におびえて泣いたのは　遠い昔のことなのに

笹の舟は　風で少しゆれた
僕の影が　行方をさえぎって

やわらかい月に　たどり着くまで
どれくらいの時が　流れればいい

かたくなに閉じたこの手を　そっと開いて
思いが解き放たれてゆく　それだけを祈ってる
まだこの心に光が　あるのなら
ゆるしあえる日がきっと来る　その時を信じてる

砂時計

なぜかいかがわしいうわさが耳につく
君が軽薄な街を泳ぎだす

最後の言葉もやりきれない気持ちも
まだこの身は覚えてるのに

まともじゃいられないよ　本当のことを知るたび
えぐられた傷は思いのほか心蝕んでく
真綿でじわじわこの首を締め付けられて
屈辱にひざまずく先に
よごれていってしまう君を見ている

何か艶かしい儀式のシルエット
得体の知れない影が君を抱いてる

触れたくちびるのすべる感触さえ
まだこの身から消えてないのに

冷静じゃいられないよ　ガラスごし君を見るたび
つきつけられたそのありさまが背骨を締め付ける
我慢できないよ　いっそのこと気を失いたいよ
とぎれそうな意識の向こうに
罪の終わりを待つ砂時計

最後の言葉もやりきれない気持ちも
まだこの身は覚えてるのに

まともじゃいられないよ　本当のことを知るたび
えぐられた傷は思いのほか心蝕んでく
真綿でじわじわこの首を締め付けられて
屈辱にひざまずく先に
夜の終わりを待つ砂時計

ある朝の写真

明け方に部屋に帰った
留守電にし忘れてた

中に干した洗濯物は
片隅でまだ乾かない

草が茂ってた空き地には
もう新しい家が建ってる

どれくらい僕は変わったろう?
同じような日々過ごすうちに
無くした物はあるのかな
どこかの駅の始発が動きだす

君と撮った少ない写真を
引き出しから出してみた

当たり前に笑っているけど
少し色褪せてるみたいだ

あれから何故かこのところ
親とも折り合いがよくない

どれくらい僕は変わったろう?
同じようなことくり返して
大事な物は何ですか
今日は一日曇り空らしい

どれくらい僕は変わったろう?
同じような日々過ごすうちに
無くした物はあるのかな
どこかの駅の始発が動きだす

アヒルちゃん

疑いのない目でどうか　なつかないで
塗りつぶしたはずの過去がのぞくたび
むき出しの良心がつつかれる
ふところの秘密がこぼれそう
ハートを握りつぶしたくなる

愛おしい君のこと　想うたび
しまい込んだ出来事が重くなる
耳もとで囁く声がする
告白をそっとうながしてる
全てをうやむやにしてしまいたい

僕が嘘をついてたこと
いつ君の前で打ち明けようか
あれは実は成りゆきだよと
今さらそんなこと言って　どうなるんだろう

忘れちゃうほど　そんなにバカじゃないし
いなおるほど　心はタフじゃないし
逃げ出すほど　卑怯になれないし
つくろうほど　賢くもないから
鏡の中の姿　歪んでゆく

いつも都合の良い解釈で
僕の心はすり変わってく
けなげな君が信じ込んで
いつか傷つけるそれだけが恐いんだ

僕が嘘をついてたこと
いつ君の前で打ち明けようか
全てをさらけ出したところで
変えられないこのいやしさよ

いつも都合の良い解釈で
僕の心はすり変わってく
けなげな君が信じ込んで
いつか傷つけるそれだけが恐いんだ

オークション

分かってたつもりだけど
案の定君を怒らせてる
おさまりがつかなくて
また始まった不毛のオークション

楽に競り落とせるほど
二人のプライドは安くない
つり上がるその値段に
いったいどのへんで手を打てばいいんだろう

膨らんでゆくよ
歯止めのきかない二人の理想が
溢れてゆくよ
僕らが今いるこの狭い部屋から

隠してたわけじゃないけど
大事なことを言い出せずに
すれ違ってる間に
溜まり溜まってく不満のコレクション

無償で譲り合うほど
気前のいい大人じゃないし
そうこうしてる間に
ふいに誰かに幸せ奪われそう

つり合わないよ
勝手なイーブン計りにかけても
望んでるものはきっと
どこにもしまいきれない気がして

いったいどのへんで手を打てばいいんだろう

膨らんでゆくよ
歯止めのきかない二人の理想が
溢れてゆくよ
僕らが今いるこの狭い部屋から

つり合わないよ
勝手なイーブン計りにかけても
望んでるものはきっと
どこにもしまいきれない気がして

灯りを消す前に

眠る前に一つだけ
確かめておきたいこと
一日が終わるときに
灯りを消す前に

目を閉じた暗闇に
君の姿映ればいい
何気ない言葉でも
僕だけに響けばいい

たとえば今日という日に
少しの淋しさ残したとしても
僕らの選んだことが
本当はどこか間違ってたとしても

もし心病めるときも
同じ痛み刻めればいい
人波にのまれそうでも
君の手さえ離さなきゃいい

たとえば明日という日に
悲しみの影を落とすことになっても
確かに言えることは
ただ一つだけこんなに愛してる

眠る前に一つだけ
確かめておきたいこと
灯りを消す前に
瞳を閉じる前に

明日の風

哀しい夢で寝不足気味の僕がいる　鏡の中
失くした言葉　思い出せずに朝は過ぎてゆく

優しさの意味　はきちがえて
いくつもの季節をやりすごしてた

ありったけのこの声を届けて欲しい君のとこへ
悲しみを残したまま僕らは次の場所へもう踏み出してる
明日に向かう風が街を通り過ぎて
少しずつ変わってけばいい
いつの日かこの痛みが眠りにつければいい

あれからいろんな事考えてみたけど　僕なりに
あこがれだけで生きていくほどもう無邪気でいられない

刻みつづける　時の中で
それぞれの願いがふるえている

ありったけの君の声を聞かせて欲しい今すぐに
ずっと先を見つめてても今はまだ想い出と呼べそうにないから

ありったけのこの声を届けて欲しい君のとこへ
悲しみを残したまま僕らは次の場所へもう踏み出してる
明日に向かう風が街を吹き抜けてく
振り返ればあの道から
あの日の２人が僕らを見送ってる

手をつなごう

はぐれないように手をつなごう　道のまん中歩こう
迷わないように手をつなごう　道しるべを探そう

ふってわいたような話に踊らされてしまうこともあるけれど

君が何かに気を取られてる時　春風が吹きぬけた
君と分けあうたいくつと自由をいつまでも離さないで歩いてゆこう

しらけないように手をつなごう　いろんなこと試そう

幸せな恋のバカンスや人生のヒマなオプションもあるけれど

まるで別の事考えてても　同じ場所につくはず
君と分けあう不器用な毎日をいつまでも大切ににぎりしめてゆこう

君が何かに気を取られてる時　春風が吹きぬけた
まるで別の事を考えてても　同じ場所につくはず
君と分けあう不器用な毎日をいつまでも大切ににぎりしめてゆこう

区役所

静かな午後に日陰の雪が残ってる
今朝見た夢に懐かしさを感じている

たまにしか通らない道　うろ覚えの曲がり角
区役所までつづいてる

川沿いに出て走る人と擦れ違う
駅の手前で誰かを待ってる人がいる

君が僕にくれたもの　僕がしてあげられたこと
手の平を見つめてる

どこかに消えてしまう雲みたいに上手に
悲しみは消せないけど

南の風に早咲きの花ゆれている
帰りの道で子をあやす母親を見る

たゆまない時の中で　変わらない優しさを
手がかりに歩いてる

まだ少し気が早い空の下を

晴れた日と月曜日は

新しいブーツはまだなじまなくて　慣れるまで二、三日かかりそう
未来をもてあましたこの街には　昼下がりのデモが通りすぎる

今朝のすさんだニュースのせいか　あまり食欲が無いみたい
どこにもやり場のない悲しみを考えても　明日には忘れてしまうのかな

どこまでもずっと　見渡せる晴れた日は
たまに自分のこと　見失いそうで

透き通った風に　くじけながら僕は
遠い日曜日を待つ

君と交わす言葉の短さに　後味の悪さを感じてる
時間と距離と優しさどれか一つ選ぶのなら　何が一番大切なの?

ウソみたいな空　雲一つも無くて
君の形を思い出したいのに
晴れわたる五月に　負けそうになるけど
君との日曜日を待つ

どこまでもずっと　見渡せる晴れた日は
たまに自分のこと　見失いそうで
ウソみたいな空　雲一つも無くて
君の形を思い出したいのに
晴れわたる五月に　負けそうになるけど
君との日曜日を待つ

愛のしくみ

割り切ってても　こだわってても
片手間じゃままならぬ　愛のしくみ
「間違わないように」「踏み外さないように」
語り尽くされてきた　愛のかたち

カルシウム不足で　愛情は偏りがち
過去を蒸し返したり　引き合いに出したり
誰かのひまつぶしに惑わされてる

カラ回りでも　カン違いでも
かた時も目が離せない感じ
気にしなくても　考えすぎでも
かなり限られてきた　愛のあかし

カフェインの取りすぎで
このところ夜更かし気味
取るに足らないウワサ真に受けてる
むなしい事って分かっているんだけど

割り切ってても　こだわってても
片手間じゃままならぬ　愛のしくみ
「間違わないように」「踏み外さないように」
語り尽くされてきた　愛のかたち

あこがれ達が夜に満ちるまで
少しかかるけれど
闇をくぐり抜けていこう
三日月の今夜も

ちょっと気まずくなって
気の利いたなぐさめが見つからなくても
むくわれるまでの退屈なカリキュラム

割り切ってても　こだわってても
片手間じゃままならぬ　愛のしくみ
「間違わないように」「踏み外さないように」
選び尽くされてきた　愛のかたち

そして僕たちがうまくやれるまで
時間かかるけれど　闇をくぐり抜けていこう
三日月の今夜も
三日月の今夜も　闇を潜り抜けていこう

タイム

いにしえの石畳の道が
ほのかな明かりに照らされてる
悲しみに暮れる瞳のように

光が過ぎ去った空に
一人残された星よ
見えない明日に向かうため
本当の孤独を教えてほしい

ざわめきを背に臨む川面に
絶え間ない灯火がゆれてる
移りゆく日々を数えるように

眠らない街の中で
どこにも帰れない影よ
白いモルタルの壁に
恋人のように寄りそって欲しい

悲しみに暮れる瞳のように

はるか遠い海の上の
風をつかまえた鳥よ

光が過ぎ去った空に
一人残された星よ
見えない明日に向かうため
本当の孤独を教えてほしい

第三章　2002年―2009年

君とピクニック

がらんどうのキャッスル
サプリメントのマッスル
アンモナイトのマーブル
増殖するチャンネル
合わせ鏡のミュージアム
ビルの谷間のスケートボード
アダルト専用のブランコ
芝生の上のクロコダイル

君とピクニック
ずっと　いつまでも

工事現場のビッグシュリンプ
原色のアンブレラ
ガリレオの執行猶予
モナリザのハッピーバースデイ
動かしにくいカーソル
優柔不断カウンセリング
橋の上のロールスロイス
絶食中のヒポポタマス

君とピクニック
ずっと　いつまでも

未完成

白々と明けてく空の下に
相変わらずしたたかな街がある
季節外れの風が吹く中で
朝にせかされている　僕がいる

冗談のように過ぎる毎日を
笑いとばしたり　こだわってみたり
ただ先も見えず歩いているから
君の声だけでも聞きたいんです。

I wanna call you up just to hear your voice……

ゆっくりと日が翳るゆるい坂道に
あてどなく転がってる夢がある
ざわめきを離れた狭い路地裏に
やるせなさを紛らす唄がある

日を数えるごと染み付くズルさを
開き直ってみたり　言い訳にしたり
ただ一人きりじゃやりきれないから
また今宵　君を求めてしまう…

I will end up basking in your love……

行き場を無くして漂う悲しみを
遠ざけてみたり　見失ってしまったり
そしてまた人は愛に迷うから
人知れず涙を落とすんです。

That is why I'm shedding secret tears……

神様も知らない午後

神様も知らない午後　エンジンの音に包まれて
地平線に交わる道　ただ南へと走ってる

遠いあの日の君の声を思い出して

今僕を縛ってるもの　何か一つほどけたら
この日差しのように君に少しは優しくなれたのかも

イルカの様な雲が二つ寄り添って行くよ

煩わしい事全部捨て去るほど
どこまでも自由じゃないから
僕らは押し寄せる時の中で
一緒にいられる場所をずっと探してた

さびたレールの上には高圧線が続いてる
誰かの交わした約束　どこかの街に着いたろうか

木々を揺らす風は君の言葉を運ぶ

僕らがずっと探してた場所は
遠い空に消えてったけど
退屈な景色が君といた
淡く切ない日々を教えてくれてる

神様も知らない午後
自由と退屈の間
神様も知らない午後
南へと向かってる

僕と不良と校庭で

突然の君の便りは懐かしい不器用な文字と
どこか遠い国の空の絵葉書

あの頃やがて僕らも大人になると思ってたけど
はっきりとした未来は描けずに過ごしていた

校舎の上に広がる5時限目の空
退屈な世界史より風に揺れてる窓の外ずっと見てた

そして人並みに恋もして月並みな悲しみも知ったけど
まだ僕は過ぎてゆく日々に迷い残してる

手にしたものはいくつか色褪せてたけど
おぼつかない指先で憶えた唄は今もまだ歌ってる

いつかの夕闇迫るあの校庭から僕らの細い影はどこまでも伸びてった

突然の君の便りに短い返事を出すことにした
今僕が歩いてる街の写真を添えて

確かなことは今もまだ見えないけれど
これから何処に向かうのかわからないけど
息を切らし走り抜けたあの校庭に新しい風が吹く

最後の海

電車を乗り継いで君と海に行ったのは
夏も終わりに近づいたいつかの昼下がり

踏切を渡って防波堤がみえてくると
地元の子供達の声と潮騒が聞こえてきた

波間に揺れている銀色の道
遙か向こうの空　鳥が横切ってゆく

あの時君に何か言おうとしてみたんだけれど
わずかな命を焦がしてる蝉の声にじゃまされた

太陽が傾くまで君は波と戯れてた
細い君の後ろ姿をテトラポッドから見てた

仕事終えた船が帰ってゆくよ
子供たちの声もどこかに消えてった
あの時の風景を永遠のフレームにおさめて
僕はただひたすら時が止まることを願ってた
海は何も言わないで　僕達を見守っていた

アトリエ

特別なことが無いかぎりは
いつもここにいるから

何も手つかずで散らかっているけど
コーヒーぐらいは出せるよ

この窓からの世界は狭いけど
それが今の僕の全て
柔らかい朝に差し込む木漏れ日を気に入ってくれればいい
このアトリエで

壁掛けの時計は遅れてるけど
あまり気にしないで

目新しいものは何も無いけど
それが今の僕の全て
付きまとう忙しさを今だけは忘れてくれればいい
このアトリエで

ふとした事で立ち止まってしまったら
ここに来て話してみて

この窓の向こうの夜は寒そうだから
明かりは絶やさずに
そのうちに君の心が少しずつ暖まってくれればいい

僕がここで描く世界を少しでも
気に入ってくれればいい

いつになってもいいから

全部、君だった。

いつのまにか降りだした雨の音
急ぎ足で行く季節の終わりを告げている
ふいに窓を閉じかけた手が止まる
しばらくは君のこと思い出さずにいたのに

些細なことからの諍いは
いつも二人の明日を曇らせた

今ならあの夜を越えられるかな
君の涙に答えられるかな
胸も苦しくて張り裂けるほど
全部、君だった

互いのぬぐいきれない淋しさを
冷めた朝の光の中でうやむやにしてきた

心にもないうらはらな言葉で
わざと二人は傷つけあったね

今なら上手に伝えられるかな
いつも微笑みに応えたかった
胸も切なくてかきむしるほど
すべて、君だった

時は静かにかけがえのないものを
遠ざかっていくほどあざやかに映しだす

どんなにやるせない気持ちでも
どんなに明日が見えなくても
温もりだけをたよりにしていた

やがて雨音は途切れはじめて
街がにわかに動きはじめる
雲がゆっくり滑りはじめて
部屋は明るさを取り戻してく

風がやさしく頬をなでてゆく
全部、君だった

雨も雲も街も風も窓も光も
全部、君だった
冷めた朝も夜も微笑みも涙も
全部、君だった

風の伝言《メッセージ》

なつかしいメロディー　ラジオから不意に流れ出して
今まで忘れてた　幻のような遠い記憶

どこかで途切れた君の声が　胸の奥によみがえる

想いを伝えるのに　言葉じゃもどかしすぎて
ふるえる心のままで　明日を探していた
風の中に

今　見知らぬ街の　君にも届いているだろうか

どこかで壊れた時のかけら　ひとつずつ　つなぐように

季節が行き過ぎても　何かを失ってても
僕らをつなぎとめてた　いつかのあのメロディーは
風の中に

黄昏の街角　明け方の交差点
街路樹ざわめく道の向こう

季節が行き過ぎても　何かを失ってても
僕らをつなぎとめてた　いつかのあのメロディーは
二人を包み込んでいた　いつかの優しい唄は
風の中に
風の中に

ADDRESS

深い悲しみに君が迷い込んだ時
耳を澄ましてごらん　きっと聞こえるはず

風の営みに木の葉が揺らいで
君に語りかける

どこまでも手を伸ばして
いつかの微笑みを取り戻して
立ち止まってしまってもいい
涙が乾いたら君だけの朝が来る

君の帰る所はここにあるから

絶えず注がれる無償の眼差しを
感じられたなら

過ぎ去って忘れかけた
いくつかの温もりを思い出して
ゆっくり前を向けば
静かにまた君の時間が動き出すから

どこまでも手を伸ばして
いつかの微笑みを取り戻して
過ぎ去って忘れかけた
いくつかの温もりを思い出して
ゆっくり歩き出して
いつでも僕は君のそばにいるから

ビー玉望遠鏡《スコープ》

まどろみの午後　にわか雨が通りすぎてく
虹の向こう側で　夏が静かに動きだした

南風にほどかれてく
いくつかの青い記憶

ラムネ色した　うたた寝の夢
揺れる陽炎　遠い蝉時雨
浴衣姿に心ざわめいて
夕方　渚で君の手を引いて

まぼろしの様に　すべてが光に包まれて

熱を帯びたこの想いは
しばらくは冷めそうにない

プールの匂い　歪むアスファルト
汗ばんだシャツの中の下心
少し浮かれた夜にまぎれたら
帰りたくない　帰したくない

焼けた背中の痛みに気付かないままで
ビー玉の中　短い夏が過ぎてく

気まぐれな君は　逃げ水のようで
細いうなじに　我を忘れそう
浴衣姿に心奪われて
夕方　渚で君にくちづける

悲しい事なんか何も無いはずなのに
言葉少なに　何故か切なくなって
黄昏の中に　閉じ込められたように
ビー玉の中で夏は過ぎてく

僕らは静かに消えていく

たえまなく道行く人の波に
まだつかめない幸せの影を探してる
君が消えていく

少し広くなった部屋に残ってる
いくつかのエピソード
ずっとここに置いとけないから胸にしまった

晩い春の憂鬱な空の下
めまぐるしく変わる街の中に
戻り道静かに消えてく

いつか僕らがこの場所で描いてた
ささやかな未来も
時がたつにつれて違う道を歩き始めた

淡く揺れてる陽だまりの中で
昼下がりのやわらかな風に
束の間の夢を見ていた日

名残惜しそうな花も
週末の雨に打たれて散るだろう

誰も居なくなった部屋のドアを閉めて
ゆっくり歩き出した

そして見慣れた風景の中で
あの日君に言いそびれた言葉を
もう一度かみしめてみる

歩道橋から眺めた街並
君と僕が過ごした季節が
滲むように遠ざかっていく

たえまなく道行く人の波に
まだわからない幸せの意味を探してる
君を忘れてく

遅い春の憂鬱な空の下
めまぐるしく変わる街の中で
僕らは静かに消えていく

アンジェラ

もう物語は終わってた
みんなあなたから去ってしまった
色褪せた落書きだけがおどけたまま

ぬかるみの様な灰色の空
太陽の場所もわからないから
語りかけてくるその影に気づかないでいる

あなたをずっと見守っている　私を今すぐに見つけて

いつか流した涙と無くした言葉を探して
鏡の向こうに閉じ込めた心を取り戻して

いくつもの夢　願いも失望も
モノクロの街は呑み込んでゆく
混ざり合って吐き出されて
そそがれた川の上
そこから今何が見えますか

今は渇いた瞳でやがて来る明日を見ないで
私はあなたのすぐそばでささやきつづけている

二人の傷を癒すようにこのまま強く抱きしめていて

いつか流した涙と無くした言葉を探して
雲の間から降り注ぐ光が包み込むから
過ちも　その罪も　悲しみも　その嘘も

そして物語は始まった…

メヌエット

大地を駆け抜ける風に
黄金の穂波がうねる

幾千も費やした人々の祈りを
確かめている

遥かなる時を超えてく思いが
降り止まぬ雨に耐えうる強さが

やがて愛するもののすべてに
注がれていけばいい

ちぎれてはぐれてく雲が
鏡の水面を横切る

自らを疑わず　羽ばたく旅鳥は
最果ての地へ
もし今私が風になれたなら
険しい山の頂を越えたら

やがて愛する人のもとに
何を届けるのでしょう
それは愛する人のそばで
寄り添っているのでしょう

流れ落ちる涙の果てに
寝静まる冬枯れの季節に
見放された荒野の先に
人は何を見つめるのだろう

どこかで続く悲しみが
落日を赤く染めてく

震える命がただ望むのは
安らかな母の胸

知らぬ間に夜の闇が包んでも
たとえ言葉を失ったとしても

あなたが見えるただひとつの光であればいい
あなたが触れるただひとつの安らぎであればいい
やがてあなたの心の中に注がれていけばいい

8月のクリスマス

ありふれた出来事が
こんなにも愛しくなってる

わずかな時間でも
ただ君のそばにいたかった

あの夏を偲ぶように
粉雪が舞い降りる
鳴り止まぬ鐘のように
君と過ごした日々を優しく包んでほしい

僕の記憶もいつか
遠い空に還ってゆくのだろうか

過去からの便りのように
粉雪は舞い降りて
ガラス越し　冬の朝
心に秘めた想い　君に届けてほしい

どれくらいの涙が残ってるだろう
今は静かに目を閉じるだけで…

思い出を語るように
粉雪が舞い降りる
悲しみに暮れぬように
微笑を絶やさぬように
日はめぐり振り返れば

確かに君がいたあの夏の日に
確かに僕がいた8月の空の下

十六夜

夜毎苛む夢の時計の針は止まっている
贖いきれない罪の後ろめたさが雨を待つ

I'll fall on my knees and pray to God
For your absolution
I might be free
And I'm waiting for the last judgement day

仇も情も罰も荒みゆく我が身より出で来る
肌に悼み刻んでは祈りの出口を探している

With your remission
That's my mission
Make a confession, because I want to be free
And I'm waiting for the final judgement day

I'll fall on my knees and pray to God
For your absolution
I might be free
And I'm waiting for the final judgement day

何処まで離れていくのだろう
心穏やかなあの日々から
柔らかい肌に焦がれながら
この身を照らす十六夜の月

どれだけ月日を見送れば
迷う心が解き放てる
光を探して咲いた花を
今宵も照らす十六夜の月

亡骸のエンブレムは何も語らずに佇んでる
魂の行き先を見守る篝火が揺れるだけ

晴男

些細な出来事でいつもHigh and low心は忙しい
いくつになっても　誰かと背比べしちゃうね

考えてみたら単純な問題でもなぜか遠回り
コロンブスでも　なかなかうまいこといかないね

心配ないさ　君らしさなんて
ほっといたって　ひとりでに溢れ出す

僕らはいつだって同じ空を見ているのさ
そしてずっとこの先も青い夢を描いていくのさ
泣いたり笑ったりしながら

東京に生まれて阪神を愛してても　それはそれでいい
こだわることもたまには大切なのね

そのままでいいさ　イメージの世界はいつでもボーダレス

どこにも境目の無い空の下で出会ったのさ
そしてずっとこの先も同じ空をみてゆくのさ
つまずいてみたりしながら

Let's make everybody get together
C'mon now, we're better together

僕らはいつだって同じ空を見ているのさ
そしてずっとこの先も青い夢を描いていくのさ

どこにも境目の無い空の下で出会ったのさ
そしてずっとこの先も同じ空をみてゆくのさ

バス停

雨上がりの夕暮れに　バスを待っていた　いつものように
子供をしかりつける母親の声　錆びた時刻表

何を境にいつから大人になったのか　思い出せないまま
約3分遅れているバスにいらだっている　すべてうまくは進まない

やさしさを打算的に考えるようになったのかな
僕もあなたも　バスの中では　はしゃげない

一番奥の席で　外を見ていた　頬杖ついて
未だ行けずじまいの店　工事現場　そしてなくなった古い喫茶店

まるですべての出来事に気付かないように　バスは行き過ぎる
そんなふうにして　僕はこの先も　暮らしてゆくのかな

人目を気にしてしまうから　僕が僕でなくなってゆく

ひと駅前で降りて　すこし外の風と歩こう

やさしさを打算的に考えるようになったのかな
僕もあなたも　バスの中では　はしゃげない

ひと駅前で降りて　すこし外の風と歩こう

春も嵐も

気まぐれな風にそそのかされ
淡い期待が手招きしてる
手始めに何をすればいいのか?
春の真ん中を行ったり来たり

思い返してる紆余曲折のダイジェスト
もう帰らない日々

難しい事分んないけど
今僕らはここにいる
夢見ながら　僭越ながら

そんな気持ちお構い無しで
物語はもう始まってる　花も嵐も乗り越えDay by day

ボヤボヤしてると先越されてく（グズグズしてたら置いてけぼり?）
チヤホヤされてた頃はもう昔（チャラチャラしてたあの子は何処?）
ちょっと油断すれば前途多難のインビテーション
言うほど楽じゃない

気恥ずかしくも嬉しくも
確かに僕らここにいる
せかされながら　じらされながら

不思議な事は数あれど
今僕らはここに立ってる
その儚さに酔いしれながら

そんな気持ち知らんぷりで
この世界は回り続ける　花も嵐も乗り越えDay by day
春も悲しみも飛び越えて

深海魚

雨上がり　坂道　夕闇　降りてきて
それぞれの靴音が行き交う

僕らは　漂う悲しい出来事を
やり過ごしている　深海魚みたいだ

いつかの歌のように流れるままなすがままに
ここまで来たはずなのに

Please let me hear
何か一つでも　確かな事
涙の代わりに
今すぐあなたの声を

消え入りそうな星を見上げて

耳を澄まして待っている

水たまりの道　街灯が照らしてる
迷い人の道標《みちしるべ》みたいに

いつか胸に抱いた憧れだけをたよりに
ここから何処に向かおうか

Please tell me now
泣きたいくらいに　本当の事
知りたいだけなんだ
今すぐあなたの声で

ため息に包まれた様な街の底
ゆっくりと歩き出す

Please let me hear
何か一つでも　確かな事
涙の代わりに
今すぐあなたの声を

消え入りそうな星を見上げて
耳を澄まして待っている

ため息に包まれた様な街の底
あなたの声を待っている

Greeting Melody

1971　窓辺の彼女から届いた調べ
長い時が経っても色褪せず鳴り続けてる

巡る季節の中　大事なもの無くしてゆくから
旅の途中の空から君に唄を贈ろう

どれだけ話せばいいのだろう
言葉はままならないけど
今まであった様々な出来事を
そっと君だけに手渡したい

優しい雨のように　そよぐ風のように
目覚めた君のもとへ
時間がかかっても　少し遅れても
そこで待っていてほしい

１９７１　窓辺の彼女から届いた調べ
そして今は大切な君に綴られるメロディー

もし君が悲しみに迷っても
いつもそばにあるように
僕が描くささやかな未来に
その微笑みがずっとあればいい

語りかけるように　手紙を読むように
眠りにつく君に
時間がかかっても　少し遅れても
そこで待っていてほしい
１９７１　窓辺の彼女から届いた調べ
そして今は大切な君に綴られるメロディー

追憶

かつて楽園と呼ばれた場所で
いつかの唄に応えるようにブランコが揺れる
今はもう誰もがそこを後にした

行き先を見失った人の夢は
ここに静かに眠るように名前を連ねる
いつか語られる時を待ってる

誰のための涙だったのか
それは愚かな願いだったのか
茜色の空　果てしなく続く

名前も知らない小さな花が
幼い乳飲み子の手のように未来を探してる
ただひたむきに生きてゆくために

何を手に入れようとしたのか
望んだ明日が重すぎたのか
あの歌声が遠ざかってゆく

誰のための涙だったのか
それは届かない願いだったのか
手を下してしまった罪と
ただそれを見つめてた罪が
記憶の最後心に呼びかける

Change the World

世界をね　変えてゆくことは
案外ね　骨が折れること
だけど　やなことは午前中にやりましょう
早いうちに済ませた方がいい

ハムやチーズをね　作ることの方が
パン焼くより　時間がかかります
だから　やなことは午前中にやりましょう
そんなことが世界を変えてゆく

ア・リ・ガ・ト

もう僕は何もする事がなくなってしまったよ
もう君は他の助けも無く生きていけるんだよ

南風窓を叩き始めて　なんとなく予感がしてたんだ

重ね重ね本当にありがとう
最後まではいかなかったけど
いつか君が僕を忘れてしまっても
どうって事ないさ　たいした事じゃないあいあい

もう春は実はすぐそこまで来てしまっているんだよ

もう誰もイヤな思いをする事はないんだよ

片付いてく部屋の片隅でこんな日が来る事知っていた

重ね重ね本当にありがとう
今までこんなに大事にしてくれて
いつかどこかで思い出してくれたなら
それはそれでうれしいかもしれない

いつかまたね本当にありがとう
朝も昼も夜も夢中になってくれて
あの時の心で誰かを愛せるなら
大人になるのもきっと悪い事じゃないあいあい

Heart of Winter

もう　黄昏に包まれている　気付かないうちに
きっと　心無しか浮かれている　窓の外の街

代わり映えの無い世界もこれからマシに見えるのだろうか

見慣れた古い街角にまた冬の日が舞い降りてくる
誰かを待ってる人がいる
ほのかに灯りだす明かりがささやかな願いに変わったら
一緒に過ごしたい人がいる　夜に包まれて

もっと　素直になれたらいいのに　ちょっと難しいけど
きっと　分り合えてるはずなのに　まだ遠慮してる

このありふれた世界もそんなに捨てたもんじゃないから

いつかの思い出の場所にもまた冬の日が訪れている
何処かへ帰ってく人がいる
乾いた風の中　あまたの星が輝きだした空を
一緒に見ていたい人がいる　そっと抱きしめながら

それぞれの窓の外をまた冬の日が通り過ぎてゆく
何気ない幸せを見ながら
いつしか降り出した雪に心が少し優しくなったら
温もり確かめていたい　まだ外は寒いから

第四章　2010年―2015年

君と見てた空

移ろいゆく街から見た　めったにない澄み切った空
ここの暮らしにも慣れ始めた

信号待ちの交差点で　置き忘れた何かに気付いたけど
前に進んで行くことを選んだ

何処か身を任せながら
戸惑いながら　日々は過ぎるけど

どんなに遠く離れて行っても忘れないよ
あの日君と見てた空を
待ちきれない思いでただひたすらに僕らは
ずっとその先を見ようとしてた

プラットホームの人ごみの中　知らない人に道を聞かれた

ほんの少し前の僕みたいだ

地下鉄の乗り換えは分かるけど　うまく説明も出来るんだけど
自分が向かう場所は何処だろう

なにか大切なものを
見落としてるのか　いつも気になるけど

何処までも限りなく続いてくこの空が
教えてくれてるはず
持ちきれない夢のいくつかを預けたんだよ
あの日君と見ていた空に

どんなに遠く離れて行っても忘れないよ
あの日君と見てた空を
待ちきれない思いでただひたすらに僕らは
ずっとその先の
持ちきれない夢のいくつかを預けたんだよ
あの日君と見ていた空に

ぼくのオンリー ワン

その変わらない眼差しで心がほどけていく
僕ら出会ってから随分経ったみたい
もし悲しい出来事があなたに起こったのなら
いつまでも寄り添っていてあげたいよ

ただ何となく　I miss you
なぜか程よく　I need you
寝ても覚めてもどんな時でも
確かめたいよ　I will kiss you
同じ気持ちで　Always with you
誰に遠慮しなくてもいい

雨が止んで太陽が顔をのぞかせたら
新しい世界を探しに行こうよ
今あなたの時間を僕にくれるのなら
とっておきの場所を教えてあげるよ

付かず離れず　Walk with you
ただ何気なく　I love you
言葉を越えた想いが渦巻いてる
確かめたいよ　I will kiss you
同じ気持ちで　Always with you
誰に遠慮しなくてもいい

見てる景色も感じる風も近いようで遠い切なさよ
だけど分かるよ　いつかあなたの季節の一部になる

ただ何となく　I miss you
なぜか程よく　I need you
寝ても覚めてもどんな時でも
付かず離れず　Walk with you
ただ何気なく　I love you
言葉を越えた想いが渦巻いてる

確かめたいよ　I will kiss you
同じ気持ちで　Always with you
いつもあなたを信じているよ
しばらくここに居るよ
そろそろ雨は止むよ

HOBO Walking

優しく風が吹きはじめて
ゆっくりまた世界は動き出した
今もどこかに漂ってる願いは
誰かのもとに届くだろうか

神様のアドバイスなんて
あまり具体的じゃないから
大人になってしまった今もこうして
迷子のように立ち尽くしてる

遠く遠く離れてる君に宛てた手紙には
ありきたりの事ばかり並べている
たまに強がってみて　少し意地張ってみて

なぜかこだわったりして
君を泣かせたりして
何かこう現実はうまい具合にいかないけど
仕方なく受け入れたりして
案外納得したりして
何かそうここから歩き出すっていうこと

何かこう幸せは雲をつかむみたいだけど
嬉しくなったりして　不意に泣けてきたりして
何かそう確かに歩いて来たってこと

自分を取り繕う言葉は
いくつかは取り揃えているけど
いざ悲しみを目の当たりにしたら
まだどうしていいのかわからないみたいだ

手にしたモノと失ったモノが
なんだかわからないまま
当たり前のように朝はまた訪れる

いつか何処からか　聞こえてくるだろう
いにしえのホーボーズブルース
憧れたことや　忘れそうな思い
この胸に蘇るように

たまに強がってみて　少し意地張ってみて
何かこう幸せは雲をつかむみたいだけど
嬉しくなったりして　不意に泣けてきたりして
何かそう確かに歩いて来たってこと

なぜかこだわったりして
君を泣かせたりして
何かこう現実はうまい具合にいかないけど
仕方なく受け入れたりして
案外納得したりして
何かそうここから歩き出すっていうこと

ブランコ

何年かぶりにブランコに乗った
高いビルも煩わしさもころがしてやった
ヘイヘイヘイ

そうずっと昔ブランコに揺られて
風に抱かれ時を忘れていた　夕暮れまで
ヘイヘイヘイ

誰かの声に引き戻されお家へ帰るまで
すべてが夢か現実かなんて気にしちゃいなかった
ヘイヘイヘイ

友達ができたり恋に目覚めてくうちに
しだいに遠ざかっていったんだ　あの場所から
ヘイヘイヘイ

最初は泣いたよ　だけど慣れてしまったよ
本当の悲しみが何なのか考えてしまうよ
ヘイヘイヘイ

行ったり来たりを繰り返しながら知らずに時が過ぎ
見渡したらこんな所まで来てしまっていたんだね
ヘイヘイヘイ

あと少したったらブランコ後にして
鞄を揺らしながら戻ろう　もうこんな時間だ
ヘイヘイヘイ

花火

きらめいた季節の終わり　思い出は揺れていました
置いてけぼりの約束が　ひりひりと胸に沁みます

君の涙から目を逸らしてまで　夢中で追いかけたものは
どこへ行ったのでしょう

ほのかに浮かんで消えてく　あの遠い場所の花火は
はかない輝きに永遠を閉じ込めてゆく
若いあの日の間違いも　去りゆく人の夢も
静かに眠りにつくように

思えばついこないだの話　だけど今よりずっと昔
容赦のない夏の日差し　じりじりと照りつけました

持て余していた時間の中で　やがてくる未来だけは
疑いもしなかったけど

映画のエンドロールのように　夜空に映る花火は
ほろ苦い青春を心に蘇らせる
愛した人の面影を　そっと胸にしまって
またいつか帰れますように

鮮やかに咲き誇り　いずれ終わる花火は
喜びも悲しみもまぶたに焼き付けてゆく
若いあの日の過ちも　去って行った人の夢も
静かに眠りにつくように

太陽の約束

見つめてるだけで　切なくなるのは
長い夜を越えて　巡り会えたから

太陽に選ばれた君と　ぎこちなく今始まる

息づかいも　その笑顔も　これから僕らが愛を知る鍵
壊れそうな心なら　つかんだその手はずっと離さない
輝いて
その光を頼りにまた歩き出せるから

喜びはいつも少し先にあるから

胸に抱く温もりがやがて君を強くする

その痛みもその涙も　これから何かを愛する証《あかし》
いくら時が行き過ぎても　たとえようのない想いがずっとそこにある

瞬く間に　いくつもの夢を見て　君を見つめてる

息づかいも　その笑顔も　これから僕らが愛を知る鍵
壊れそうな心なら　抱きしめていたい　眠りにつくまで

輝いて
この先もずっと
輝いて
いつか君が　すばらしい風を見つける日まで

あなたしか知らない朝

あなたしか知らない朝の　ささやかな出来事達が
なんでもない今日の日を　愛すべきものにしてくれる

あなたが密かに始めた　毎日の小さな習慣が
新しいこの場所で　いつか実を結びますように

全てが思い通りにはいかないけど
そんな時は少し手を休めて

あなたが暮らしてる町の　風にまだ馴染めてないけれど
柔らかい明かり灯して　愛する人を待っている

いつも良いことばかりじゃないけど
小さな喜び胸に抱き寄せて

当たり前のように訪れる　ささやかな出来事達は
何気ない日々の中で　愛すべきものを運んでくる

あなたしか知らない朝に
あなたしか知らない朝に

アルタイルの涙

なぜに悲しみはいつか途絶えて
なぜに思い出は美しいままで

分かち合った時間が忘れられずに
いつまでもここを離れられない

風吹くたび　花散るたび
空を見上げて何度でも誓うよ
偽りでも幻でも
生まれ変わっても見つめ続けていくから

なぜに過ちに気付かないまま
なぜに黄昏に言葉なくして
ただひとり暗い森を歩くから
今だけは涙許してほしい

夏来るたび　雲行くたび
弾けるように微笑みがよみがえる
届くように聞こえるように
声を限りに歌い続けていくから

いにしえより届くあまたの光よ
彷徨う心を闇の外へ導いて

風吹くたび　花散るたび
空を見上げて何度でも誓うよ
偽りでも幻でも
生まれ変わっても見つめ続けていく

夏来るたび　雲行くたび
弾けるように微笑みがよみがえる
胸の奥に刻み付けた
消えるはずのないこの想い抱きしめて

星空ギター

涙を今流せたなら少しは楽になれるかな
君の事考えながらギターでも弾こうかな

胸に迫る憧れが星空と重なるように
行く当てないメロディーをこの夜に漂わせて

切なさに身をふるわせてる　もう報われないと知りながら

かすかな約束だけがほのかに揺れているようで
君にはもう会えないのかな　夜風が通り過ぎていく
最後に見た眼差しが儚くて泣けてきそう
その瞳に奪われたこの心戻れなくて

とめどなく溢れる想いは言葉にはできない
あの季節と同じ夜空が君のことを見守っているのに

胸に迫る憧れが星空と重なってく
君のためのメロディーがこの夜を包み込むよ
最後に見た眼差しが儚くて泣けてきそう
その瞳に奪われたこの心戻れなくて

切なさに身をふるわせてる　もう報われないと知りながら
アルペジオに願いちりばめて　君のもとへ

Green Bird

目覚めたばかりの心に風が吹く
身勝手に世界を広げて君は進む
憧れも夢も持たず　覚束ない足取りのままで進む

未だにこの空の謎は解けないまま
向かい風を疑いもせず
どこまで僕らは羽ばたいて行けるだろうか
ざわめく心のまま　受け止めてくパノラマ
神様のつぶやき　それを確かめるために

いくつも枝分かれしている未来の姿
憧れと夢の果てに
どんな自分を君は手に入れられるのだろうか
孤独を抱えながら　受け入れてゆくドラマ
今ここにいる事　それは間違いのない事

さあ　何からはじめようか
悲しみも知らないまま　受け止めてくパノラマ
まぶしさに目を細めて羽ばたいたばかりの翼
ざわめく心のまま　見上げた僕の空
神様との約束　愛を見届けるために

Flowers

新しい旅立ちはちょっぴり寂しいね
泣いたり笑ったり昨日のことのようだね
気ぜわしい街だけどしばらくお別れだね
良いことも嫌なことも今はもう懐かしい

なんたって幸せはいつも分かりづらいから
今日のこと忘れないように　花を届けよう
何しろ言葉はどうしても照れくさいから
余計なこと言っちゃう前に花を贈るよ

この先にどんなことが君を待っていたとしても
思い出しさえすれば乗り越えられるはず

いつだって誰だって今に満足できないから
ちょっとむなしくなる気持ちに花を添えよう
一通り何かを成し遂げることが出来たら
その場所にはきっと綺麗な花が残るよ

いつだって選んだ道が合ってるのかわかんないから
行き先見失わないよう花を置いとこう
これで良かったんだって正直に思いたいから
ちょっと寂しくなる心に花を咲かせよう

なんたって幸せはいつも分かりづらいから
今日のこと忘れないように　花を届けよう
何しろ言葉はどうしても照れくさいから
余計なこと言っちゃう前に花を贈るよ

道

わずかな望みを残した遥かな道を

小さな灯火を抱いてさまよう影よ
巡る空の下では　生まれくるあまたの命が問いかけてる
ひたむきに生きる意味を
黄金色の風の中を　駆け抜けたその先に
僕たちは何を見るのだろうと

かすかな願いを紡ぐように旅鳥が舞う
雪解けのせせらぎが　やがてくる本当の夜明けを告げている
優しさに包まれてく　柔らかい日差し浴びて
戯れたその場所が
僕たちの生きた証になると

花の季節が過ぎても
この道は続いてゆく
赤く燃える落日に　染まりながらいつの日か
僕たちがまた巡り会うために

心の手紙

拝啓　この場所からもう何度目の手紙になるのでしょうか
花を揺らす風が季節の移ろいを知らせている

相変わらず何もかもが望みどおりにいかないけれど
少しはあの時より強くなれてますか？

空にかかげた夢は雲のように
流れ去ってしまうけれど
一歩ずつ踏みしめれば
あなたの心に近づいていく

どんなにささやかでも手に入れた温もりが大切だから
凍えそうな夜にそっと抱き寄せて

今もこの足跡を隠すように
日々は降り積もっていくけれど
朝の光浴びれば
あなたの心に触れたような気がする

空にかかげた夢は雲のように
どこかに行ってしまったけれど
この場所を踏みしめれば
あなたの心が解ったような気がする

うたたね

めくり忘れたカレンダー
毎日何か見落としがち
同窓会の知らせにも応えられないまま

とりたてて不満も無く
それなりに日々は過ぎてく
隠れてた愛情に気づかないみたい

今言葉にしてしまうと
誰かに笑われるかな

あの日心を通り過ぎた温もりは
何処にでもあるような小さな出来事
あなたの微笑み　何も言わないでずっと寄り添ってた

ため息のような午後の風
洗濯物が揺れている
どこかではしゃいでる子供達の声

これも一つの幸せと
割り切ればいいのかな

あの日堪えきれずに泣いた夕暮れの

何気ない言葉にいつも救われていた
あなたの優しさ　流した涙をそっと拭ってくれてた

何処にでもあるような小さな出来事
あなたの微笑み　何も言わないでずっと寄り添ってた

思い出せたならまた歩き出せる

カゲロウ

雨上がりのアスファルトの道端に花が咲いてる
たどり着いたその場所で　風に身を任す様に
踏切の向こうでカゲロウが揺れている

もしここで生まれていたなら　どんな僕になってただろう
港を出て行く船を　国道のずっとその先を
切ない気持で見つめていたのだろうか

ここにある喜びと悲しみに触れたら
今より素直になれるかな

歩道橋の下の線路を夕暮れの列車が過ぎる
どこかの街の海辺を　夜を照らす月の下を
家路につく人　旅立つ人達を乗せて

それぞれが描いてる幸せの形
今無性に君に会いたい

何かを置き去りにしたまま時は季節と共に行く
かつて抱いた憧れ　幻の様な夏の日々
一人で佇むいつかの僕を残して

第五章　２０１６年—２０２０年

贈り物

「ありがとう」って君にちゃんと言えてるかな　気になる
「ありがとう」はとても大切な言葉
だけど　いつもつい忘れてしまいがちで
もっと素直になれたらいいのにな

「ありがとう」は僕と君を結んでる　贈り物
「ありがとう」は形のないプレゼント
だけど　いつ渡せばいいのかわからなくて
心の引き出しに溜まってゆくばかりで

「ありがとう」は実は何かを知ってる　気がする
「ありがとう」はとても暖かい言葉
ほんの　些細なことがなぜか嬉しくなる
ずっと一緒にいられたらいいのにな

パイオニア

遥か遠くから吹いてくるこの風は　大地が憶えてる太古からの叫びか
未開の地に足を踏み入れるこの旅は　荒ぶる馬の嘶きと共に始まる

この世界は幾つものひらめきの集まり　時代に名を馳せた支配者たちの連なり
時と共に語り継がれてゆく物語　その膨大なページが目の前で

走り出す　生命を手掛かりに　映り出す　夢のやりとりが
Go on Go on
砂煙を巻き上げて向かおう

繰り返されてきた人々の営み　いにしえの教えが紡ぐ繋がり
幾千の時を凌ぐ神様の瞬き　そして未来の啓示が目の前を

駆け抜ける　愛を頼りにして　溢れ出す　憧れのしずく
Go on Go on
水しぶきを跳ね上げて進もう

あの時僕たちが受け継いだものは何　そして僕たちが受け渡してゆくものは何
遠い過去からやって来た光の導き　あらゆるものを包み込む空に
舞い上がる　生命を手掛かりに　煌めいている　夢のやりとりが
Go on Go on
砂煙を巻き上げて向かおう

ターミナル

カーディガンを羽織っただけじゃ少し心もとない
まだ肌寒い春を行く
素敵な予感とかすかな不安が
旋風に混じり合う
過ぎ去った日々が今僕に話しかける
「自分らしくやっていますか?」
絶え間なく動き続ける人の波に紛れながら

アンバランスな気持ちをどうにか誤魔化しながら
定刻の列車に乗る
いつもと変わらないこの風景にホッとしてるのも確かだ
アナウンスの声が今僕に問いかける
「忘れ物はありませんか?」
とめどなく押し寄せる時の中で立ち止まったその場所に

Would that be all of your order?
What is your precious thing?
Have you left anything behind?
What is your destination?

流れに抗いながらどこか従いながら
人いきれのターミナル
何かが終わり始まるまでの
その虚ろなつかの間に
コーヒーショップの人が今僕に尋ねてる
「以上でよろしかったですか?」
途切れなく回り続ける空の下で街の中で

Take Me There

履き慣れない靴で歩いている　無理やりスクロールして行く毎日を
止めどなく増えるコンテンツの大事なとこを見過ごしていないよね

誰かの思惑の人波の中　何かが気がかりで振り返ってみたら
今僕がいる場所がどこなのかわからなくなりそうで

Please take me there, please take me 全てが黄昏に沈んで行ってしまう前に
Please take me there, please take me 大切な人とずっと繋がっていたいから

片手間にいつも検索かけて派手なニュースに邪魔され誤魔化され
通り過ぎてゆく色んな出来事の本当の意味を見落としてしまいそう

誰かが目論んだ人混みの中　何かの拍子にふと見上げた空
今君のいる場所がなぜか遠く離れてしまいそうで

Please don't leave me, please don't go 僕らはまだしばらく夢の途中だから
Please don't leave me, please don't go やり残した事は両手だけじゃ足りないから

Please take me there, please take me 素敵な事がまだどこかで待ってるから
Please take me there, please take me 僕らならきっと未来を分け合えるはず
Please don't leave me, please don't go 僕らはまだしばらく夢の途中だから
Please don't leave me, please don't go やり残した事は両手だけじゃ足りないから

光源

こらえきれなくて流れ出した涙は街を滲ませた
数え切れないほどの人たちの願いは何処にあるのだろう

あの場所から明日を手繰り寄せるように
何もない空に手を伸ばした
憧れも自分らしさも解らないまま
ただ頑なに　ただ真直ぐに
光だけを求めてた

深い海に沈んでくようなまどろみにこの身を預けた
弱さを隠すため独りよがりな言葉で君を傷つけた
眼を閉じた暗闇の中の祈りは誰に届くのだろう

置き去りにされた夢はまだどこかで
僕の事を待っているのかな
あの場所から明日を手繰り寄せるように
何もない空に手を伸ばした
やみくもに進む事に疲れた時
ずっと動かず　見つめていてくれる
光だけを探してた

空へ

特別な朝がそこまで迫っている
この足元から世界は広がってく

まだこのままでいたかったんだけど
あまり時間が無いみたいだ

芽生えた心は風に震えてる
孤独の海が朝日に照らされてく

遠くで揺れてる憧れだけで
どこまで行けるのだろうか

裸足のままで僕らは行く
サヨナラの陰でいつしか泣く
胸に残る温もりだけ
抱きしめたまま　ずっとその先へ

切ないままで僕らは飛ぶ
サヨナラの陰に痛みを知る
やがて流した涙が
凍えそうな心　慰めてくれるまで

柔らかい光に包まれた記憶が
瞬き始めた星の夜に蘇る

ためらいながらも手を伸ばして
サヨナラの中に始まりを知る
そして見つけた喜びを
噛み締めたなら　僕らが繋がる

裸足のままで僕らは行く
サヨナラの陰でいつしか泣く
胸に残る温もりだけ
抱きしめたまま　ずっとその先へ

切ないままで僕らは飛ぶ
サヨナラの陰に痛みを知る
やがて流した涙が
凍えそうな心　慰めてくれるまで

ポラロイド写真

フェンスの向こうの夕焼け　工場の終業のサイレン
オイルと汗が混じった匂いが体にまとわりついていた

日に焼けたポラロイド写真　あいつはふざけて笑ってる
事あるごとに張り合ったけど　結局のとこ勝てなかったな

馬鹿だったなぁ　疑うことを知らず　永遠を信じていた
若かったなぁ　誰かを傷つける　危うさに気づかないまま

素知らぬ顔のフェンス越しの空に
容易く壊れない夢を探していた

いつか胸にしまった刃は　気がついたら錆びついていた
うまく立ち回ろうとしたけど　何の役にも立たなかったな

甘かったなぁ　溢れる思いだけで　うまくいくと信じていた
長かったなぁ　何も分かってなかった　そんなことに気づけるまで

少し霞んだ　暮れて行く街に
いつか見たあの時の空を探している

馬鹿だったなぁ　剥き出しのままで　気持ちを抑えきれずに
甘かったなぁ　ただ情熱だけで　どうにかなると思っていた
まだまだかなぁ　全ては行き過ぎる　そんなことに気づけるまで

あの日写したあいつとの写真に
心が求めた永遠を見た気がした

アンドロイド

灰色のベールで悲しみを包んで舞い踊るアンドロイド
いつからか心の奥に仕舞い込む　偽りのポートレート

水の中で培養されていく揺らぐことない心情
太陽の下でたとえば誰かを裏切っても構わない

抗えぬ宿命を剥がすように
枯れそうな心を濡らすように
報われない想いと知りながらも
ただ自分を許したいだけ

冷たい月夜を忍んで開かれる一人きりのマスカレード
痛みと引き換えに捧げる祈りは染み渡るアルカロイド

胸の奥で燻っている割り切れない感情
約束できるならたとえばこの身が傷ついても構わない

定められた運命に背くように
付き纏う影を切り離すように
あやふやな未来だと知りながらも
ただあなたに触れたいだけ

抗えぬ宿命を剥がすように
枯れそうな心を濡らすように
報われない想いと知りながらも
ただ自分を解き放したい

定められた運命に背くように
付き纏う影を切り離すように
あやふやな未来だと知りながらも
ただあなたに触れたいだけ

君の名前

これからどれくらい君の名を呼ぶのだろうか
どんなに時の波が押し寄せても
ずっと変わる事のない願いを託したその名を

微笑みに満ちた時が通り過ぎていった頃
移ろう季節の中、君は一人
どんな未来を夢見て歩いているのだろう

嬉しい気持ち　切ない思い　入り混じっていったあの日を
これから先もきっと忘れないから
言葉にならない愛しさに変わる

これからどこまで君に寄り添えるだろうか
止めどなく揺れているその心に
ふと立ち止まった時に流した涙の訳にも

嬉しい気持ち　切ない思い　入り混じっている今も
まだしばらくは見守らせていてほしい
言葉にできない愛しさの中で
再び世界が君に微笑むまで
その名前を君が抱きしめる日まで

Eyes On You

止まない雨は無いってことぐらい
今更言わなくても　誰だって分かるけど
全てが報われることは無いから
ただ僕らは黙って　明日を見つめるだけ

積み上げてまた何かを失って
その手のひらに最後まで残っているものは何

Eyes On You
悔しくて泣いた時を知ってるから　誰よりも
Eyes On You
うなだれていた日々も見ていたから　君のことを

見えないものを信じてしまうから
裏切られる事に怯えてしまっている

傷ついてその痛みが癒えた頃
また最初からやり直すために選ぶ道がある

Eyes On You
答えなんてないから　きっと君は歩き続ける
Eyes On You
悲しみの数だけ強くするから　君のことを

いつの日にか気がつくだろう
この掛け替えのない時に

Eyes On You
悔しくて泣いた時を知ってるから　誰よりも
Eyes On You
うなだれていた日々も見ていたから　君のことを

Eyes On You
答えなんてないから　きっと君は歩き続ける
Eyes On You
悲しみの数だけ強くするから　君のことを
Eyes On You

プロフィール

生まれたところは何にもない田舎町
周りに比べたら早熟だったのかも
左利きで何かと不便だった様な気がする

いつからが思春期か覚えてないけど
人並みに抗う気持ちは持ち合わせ
今の所 本当の自分は職業不詳

誰も傷つけるつもりもなく
私はそこに居合わせただけ

パズルのピースが一つ足りないだけで
余計なことばかりこの身につきまとう
私はたまたまそこに居合わせただけ

特に何かを信仰していることはなく
海外の渡航歴は過去に数える程
財布の中身は免許書と数枚のカード

何の約束もなかったけれど
私はそこを通り掛ったただけ

そこに居た人達と何の関わりもない
どうしても渡らないと帰れない道がある
私はたまたまそこを通り掛かっただけ

パズルのピースが一つ足りないだけで
余計なことばかりこの身につきまとう
私はたまたまそこに居合わせただけ
そこに居た人達と何の関わりもない
どうしても渡らないと帰れない道がある
私はたまたまそこを通り掛かっただけ

アイムホーム

いつからか時の中で色褪せてく　されど消えない約束は
遠ざかる季節の名残のように　風に揺られてる落し物

今はあの日壊した物を直そう
ひとつひとつ欠片を繋ぎとめて
一度心　離れても　ここに戻ってこれるように

サヨナラに慣れていないから　大事な言葉 いつも言いそびれて

今は少し素直になれてるかな
誰かの優しさに気づけるかな
ふいに心　立ち止まっても　ここから歩き出せるよう

空の青が水面に映る　パノラマが果てしなく続く
いつかのときめきを取り戻すように

今はあの日壊した物を直そう
ひとつひとつ欠片を繋ぎとめて
一度心　離れても　ここに戻ってこれるよう
今は窓の外を眺めていよう
黄昏にただ身を預けていよう
いつか心　迷っても　ここの灯り探せばいい

影踏み

心が戯れるまま夢中で遊んでた
母親の呼び声　もういいかい　まだだよ
夕暮れの空には　上弦のお月さま
永遠の意味なんて知らなくてよかった

孤独が目覚めるその時まで
風も月も影も分かち合えたのに
いつから僕らは闇を見つめたの

遠ざかる声が夕日に溶けていく
はしゃいだ影はどこまでも伸びていく
しばらく君と話していたいから
今はまだどうか灯りを消さないで

二つの錆びたブランコが　互い違いに揺れた
サヨナラの重さなんて感じていなかった

夢から目覚めたその時まで
空も雨も雲も同じに映っていた
いつから互いに何を愛したの

もう戻らない日々　止まったままの時間《とき》を
静かに再び　動かし始めたい
しばらく君と会えなくなるから
今だけはどうか灯りを消さないで

引き離された傷が疼く頃　痛みはその心を呼び覚ましていく
どこかで僕らはまた巡り会う

遠ざかる声が夕日に溶けていく
はしゃいだ影はどこまでも伸びていく
もう戻らない日々　止まったままの時間《とき》を
静かに再び　動かし始めたい
いつかまた君と会いたくなったら
その時はこの手で灯りを灯せばいい

インターバル

僕らはしばらく立ち止まり 星空を仰ぎ見ていくつかの答え探していた
どうして人は時折 時を超えて届く光に願い託すのだろう

思う様に全てがうまくいかないけど
あなたがそばに居てくれる

ならばせめて 前を向こう
自由と不自由の その狭間を歩いているけど
ならばせめて 胸を張ろう
悲しみと喜びの その間の道はずっと続くから

僕らは小高い丘からうつろう町並みを物憂げに見渡すことがある
どうして人は時折 進み続けることをどこかで拒んでしまうんだろう

もう会えなくなった人はいるけど
あなたがここに居てくれる

ならばたまに 足を止めていい
いつだって世の中やその時代に急かされてしまうけど
そして再び 歩き出せばいい
傷ついた心にそっと寄り添う特別な場所はきっとあるから

ならばせめて 前を向こう
不安と憧れが その胸に渦巻いていても
ならばせめて 胸を張ろう
自由と不自由の その狭間の道は続くけど

そして再び 歩き出せばいい
傷ついた心にそっと寄り添う特別な場所はきっとあるから

Find Song

あの沈みゆく太陽は　何を残して何を奪ったのか
立ち尽くし　心が嘆いても　僕はあなたを愛し続ける

何と戦っているのか　時々分からなくなることがある
幾たび自分を見失っても　あなたのことを愛し続ける

何を信じていたのか　裏切られた事さえ思い出せない
色んな欲望に邪魔されても　ずっとあなたを愛し続ける

人を傷つけてはダメだと　そんなことぐらいしか分からない
どんなに上手に生きれなくても　この先あなたを愛し続ける

あの東の空の向こう　どんな朝を迎えているんだろう
今更変わるのは難しいけど　あなただけを愛し続ける

あの沈みゆく太陽は　何を残して何を奪ったのか
立ち尽くし　心が叫んでる　僕はあなたを愛し続ける

Updraft

果てしない旅はまだ続いてる　東へ西へ
世間との折り合いは未だ着かないままで

ちっぽけな自分に気付けることが
むしろ心地いい特別な場所

空を仰いで風を受けて　体の渇きを覚えながら
雨に打たれ心挫け　遠くの雷鳴に慄きながら
ここにいる事の意味を噛みしめるために

欲しい物は分からないけど　南へ北へ
ギターと長く連れ添った歌を携えて

偶然の出来事に憧れるけど
とりあえず進まないと始まらない

闇を抜けて光浴びて　ほのかな温もりに酔いしれながら
声をあげて足を鳴らして　何かが変わると信じながら
君と巡り会えた事を噛みしめるために

複雑な感情に戸惑ってるなら
溢れ出る衝動に任せて

空を仰いで風を受けて　体の渇きを覚えながら
闇を抜けて光浴びて　ほのかな温もりに酔いしれながら
ここにいる事の意味を噛みしめる
君と巡り会えた事を噛みしめるために

Flame Sign

絡まってほつれたその運命が静かに燃えている
体をくねらせて揺らぐ炎は全てを焼き尽くす

私は今ここにいるよ
あなたのすぐそばにいるよ
気づいて欲しい　応えて欲しい

あなたが思っているよりもずっと問題は切実で
どうしてこんな事になってしまったのか　誰も説明できない

私はここで待っているよ
仄暗い闇の中で
見つめて欲しい　感じて欲しい

憧れも絶望も名前のないメッセージも
優しさも愚かさも　何もかもが灰になる前に
一筋に立ち昇ってゆく煙が唯一の存在の証

ずっとそこに居たんだよ
寒さに震えてたんだよ
愛して欲しい　抱きしめて欲しい

悲しみも後悔もサヨナラさえも

憧れも絶望も名前のないメッセージも
優しさも愚かさも憎しみも愛情も
偽りも真実も　何もかもが灰になる前に

山崎まさよし *Masayoshi Yamazaki*

シンガー・ソングライター。

一九七一年一二月二三日、滋賀県草津市に生まれ、山口県防府市で育つ。上京後、一九九三年よりライヴや楽曲制作をはじめ、一九九五年「月明かりに照らされて」でデビュー。一九九七年公開の主演映画『月とキャベツ』の主題歌「One more time, One more chance」がロングヒットし、人気を決定的なものとする。

ソロのほかセッション参加や映画音楽制作、テレビ、ラジオ、CM出演など、活動は多岐にわたる。精力的な全国ツアーに加え、各地のフェス・イベント出演も数多い。

詩　山崎まさよし

二〇二一年五月二三日　初版第一刷発行

著者　山崎まさよし

発行人　杉岡　中
発行所　株式会社百年舎
〒一四一－〇〇三一
東京都品川区西五反田二－一三－一
電話　〇三－六四二一－七九〇〇

ブックデザイン　原　研哉＋中村晋平

ISBN978-4-9912039-0-9
JASRAC 出 2103978-101
NexTone PB000051400号